Vivid Dream Diary Book

꿈꾸는 다락방 VD 다이어리

차이정원

적을수록
꿈이 현실이 되는
VD 다이어리

스무 살 3월, 운명처럼 꿈의 공식을 만났다. 글쓰기와는 거리가 먼 삶을 살던 내가 작가의 꿈을 꾸기 시작했다. 꿈이 이미 이루어졌다고 믿으면 언젠가 그 믿음이 현실이 된다는 사실이 큰 위로가 되었다. 내일을 향해 나아갈 용기를 갖게 해주었다. 이 기적과도 같은 사실을 널리 알리고 싶어 R=VD에 관한 자료들을 모으기 시작했다. 14년이 넘는 세월이 흘러 마침내 《꿈꾸는 다락방》이 세상에 나오게 되었다. 언젠가 반드시 베스트셀러 1위가 될 거라는 믿음도 현실이 되었다. R=VD를 활용해 꿈을 이룬 사람들의 이야기는 지금 이 순간에도 계속해서 쏟아지고 있다.

Vivid Dream = Realization.
생생하게 꿈꾸면 이루어진다.

R=VD는 무슨 일이든 이루게 하는 위대한 힘, 즉 믿음을 흔들어 깨운다. 그

리고 믿음을 현실로 만들어준다. 그런데 지금껏 우리는 "노력한 만큼 성공한다"라는 주입된 믿음을 갖고 살아 왔다. 그래서 성공한 사람을 보면 '열심히 노력한 결과'라고 말한다. 그러나 사실 '나는 성공할 수밖에 없는 사람'이라는 강한 믿음이 있었기에 성공한 것이다. 강렬한 믿음을 깨우는 VD만으로도 우리는 꿈을 이룰 수 있다.

《꿈꾸는 다락방》과 만난 250만 독자들로부터 R=VD 실천법에 대해 자주 질문을 받는다. 생생하게 꿈꾸기 위해서는 무엇보다 꿈이 이루어진다는 믿음을 잃지 않는 것이 중요하다. 그러려면 꿈을 이룬 나의 모습을 언제든 눈으로 보고, 손으로 만지고, 소리로 듣는 등 구체적으로 느낄 수 있어야 한다. 꿈을 이룬 내 모습을 매일 문장으로 기록해보자. 믿음은 더욱 견고해지고 꿈은 보다 더 생생해질 것이다. 사진 VD, 장소 VD, 글 VD, 소리 VD 등 7가지 꿈의 공식을 완벽하게 기록하고 실천하게 해주는 《꿈꾸는 다락방 VD 다이어리》. 한 장 한 장 채워질수록 꿈이 현실이 되는 환희를 느껴보시길 바란다.

만일 네가 꿈을 갖는다면

그 꿈을 절대로 포기하지 않는다면

넌 반드시 빛나는 별이 되어

세상을 크게 비추게 될 거야.

나는 언제나,

언제까지나 너를 응원해!

내 꿈을
향한
특별한 여정

나 ∞ 내 안의 진짜 나와 마주하기.

꿈 ∞ 타인의 꿈이 아닌 내 꿈을 욕망하기.

믿음 ∞ 꿈의 위대한 가능성을 믿기.

꿈의 공식 ∞ 생생하게 꿈꾸면 이루어진다. R=VD!

용기 ∞ 가짜 꿈이 하는 말에 약해지지 않기.

다짐 ∞ 꿈을 가진 특별한 존재, 나를 응원하기.

습관 ∞ 진심으로 꿈을 느끼고 말하고 행동하기.

주문 ∞ 기적을 부르는 말로 일상을 채우기.

열정 ∞ 가슴 뛰도록 뜨거운 삶을 살기.

신념 ∞ 별처럼 빛날 내 꿈을 의심하지 않기.

비상 ∞ 단 1cm라도 앞을 보고 나아가기.

다시, 꿈 ∞ 어제보다 오늘 더 큰 꿈을 꾸기.

이루고픈
소중한
나의 꿈

Yearly Plan

	January	February	March
1			
2			
3			
4			
5			
6			
7			
8			
9			
10			
11			
12			
13			
14			
15			
16			
17			
18			
19			
20			
21			
22			
23			
24			
25			
26			
27			
28			
29			
30			
31			

April	May	June

Yearly Plan

	July	August	September
1			
2			
3			
4			
5			
6			
7			
8			
9			
10			
11			
12			
13			
14			
15			
16			
17			
18			
19			
20			
21			
22			
23			
24			
25			
26			
27			
28			
29			
30			
31			

October	November	December

나

+

#01 : myself

난 이 책을 읽는 네가
어떤 처지에 있는지 몰라.
그래서 어떤 조언을 하기가
많이 망설여져.

하지만 그럼에도 불구하고
네가 내게 조언을 구한다면
이렇게 말하고 싶어.

/

"설령 네가 세상에서 가장 어두운
터널을 지나가고 있다고 생각되더라도
미래를 믿고 끝까지 가보렴.

그럼 넌 언젠가 반드시
눈부신 빛을 만나게 될 거야."

/

음, 너무 식상한 조언이라고?
어디선가 많이 들어본 것 같은 말이라고?
그래, 인정해 그런데 말이야
말과 글은 본래 빤한 거야.
하지만 그 누구의 것이든 삶은 절대로 빤하지 않아.

Monthly Plan	MON	TUE	WED
DREAM LIST			

THU	FRI	SAT	SUN

Weekly Plan

WEEKLY POINT

WEEKLY CHECK

- ☐ 사진 VD
- ☐ 장소 VD
- ☐ 소리 VD
- ☐ 글 VD

MON

TUE

WED

THU

FRI

SAT

SUN

너 알고 있니?

네가 매일 별 위에서 살아가고 있다는 사실을.

그리고 네가 별 자체라는 사실을.

Weekly Plan

WEEKLY POINT

WEEKLY CHECK

- ☐ 사진 VD
- ☐ 장소 VD
- ☐ 소리 VD
- ☐ 글 VD

MON

TUE

WED

THU

FRI

SAT

SUN

Weekly Plan

WEEKLY POINT

WEEKLY CHECK

- ☐ 사진 VD
- ☐ 장소 VD
- ☐ 소리 VD
- ☐ 글 VD

MON

TUE

WED

THU

FRI

SAT

SUN

Weekly Plan

WEEKLY POINT

WEEKLY CHECK

- ☐ 사진 VD
- ☐ 장소 VD
- ☐ 소리 VD
- ☐ 글 VD

MON

TUE

WED

THU

FRI

SAT

SUN

내 속에 내가 있어.

거대하고,

무시무시하고,

눈부시게 강하고,

눈물 나도록 크고 아름다운

나의 자아.

Weekly Plan

WEEKLY POINT

WEEKLY CHECK

- ☐ 사진 VD
- ☐ 장소 VD
- ☐ 소리 VD
- ☐ 글 VD

MON

TUE

WED

THU

FRI

SAT

SUN

꿈

+

#02 : dream

나는 가고 싶어,
내가 도달할 수 있는 가장 높은 곳까지.

나는 퍼 올리고 싶어,
내 내면의 가장 깊은 곳에 있는 무엇을.

나는 날아가고 싶어,
내가 꿈꾸는 세계를 만날 때까지.

나는 살아가고 싶어,
내가 상상하는 내 모습 그대로.

Monthly Plan	MON	TUE	WED
DREAM LIST			

THU	FRI	SAT	SUN

Weekly Plan

WEEKLY POINT

WEEKLY CHECK

- ☐ 사진 VD
- ☐ 장소 VD
- ☐ 소리 VD
- ☐ 글 VD

MON

TUE

WED

THU

FRI

SAT

SUN

어쩌면 넌, 넌 말이야.

자신이 어떤 미래를 원하는지조차 모르기에

이토록 아프게 방황하고 있는 것은 아닐까?

지금이라도 마음속으로 그림을 그려봐.

네가 만나고 싶은 미래의 그림을 말이야.

Weekly Plan

WEEKLY POINT

WEEKLY CHECK

- ☐ 사진 VD
- ☐ 장소 VD
- ☐ 소리 VD
- ☐ 글 VD

MON

TUE

WED

THU

FRI

SAT

SUN

Weekly Plan

WEEKLY POINT

WEEKLY CHECK

- ☐ 사진 VD
- ☐ 장소 VD
- ☐ 소리 VD
- ☐ 글 VD

MON

TUE

WED

THU

FRI

SAT

SUN

Weekly Plan

WEEKLY POINT

WEEKLY CHECK

- ☐ 사진 VD
- ☐ 장소 VD
- ☐ 소리 VD
- ☐ 글 VD

MON

TUE

WED

THU

FRI

SAT

SUN

물질보다 강한 것은

사랑이다.

현실보다 중요한 것은

꿈이다.

Weekly Plan

WEEKLY POINT

WEEKLY CHECK

- ☐ 사진 VD
- ☐ 장소 VD
- ☐ 소리 VD
- ☐ 글 VD

MON

TUE

WED

THU

FRI

SAT

SUN

믿음

+

#03 : faith

/

"오늘 나에게 거대한 행운이 다가올 것이다."

/

어느 책에서 읽은 이야기에 따르면
빌 게이츠는 매일 아침마다 거울을 보면서
스스로에게 이렇게 말해주었다고 해.

난 네가 매일 아침 눈을 뜨자마자
거대한 행운을 만날 예감에 몸서리치는
그런 사람이 되길 바라.

어디를 가든 누구를 만나든
그 장소와 그 만남 뒤에 숨어 있을지도 모를
거대한 행운과 조우하러 간다고 믿는
그런 사람이 되길 바라.

매일 잠들 때마다 곧 만나게 될
거대한 행운에 대한 예감 때문에
쉬이 잠들지 못하는 그런 사람이 되기를 바라.

Monthly Plan	MON	TUE	WED
DREAM LIST			

THU	FRI	SAT	SUN

Weekly Plan

WEEKLY POINT

WEEKLY CHECK

- ☐ 사진 VD
- ☐ 장소 VD
- ☐ 소리 VD
- ☐ 글 VD

MON

TUE

WED

THU

FRI

SAT

SUN

언젠가 네 가슴속에도 꿈이 찾아왔을 거야.

어떤 황홀한 속삭임이 네 가슴을 두드렸을 거야.

그 꿈을 살아가는 사람이 되길 빌어.

그 속삭임을 따라가는 사람이 되길 빌어.

인생은 진정 한 번뿐이니까.

Weekly Plan

WEEKLY POINT

WEEKLY CHECK

☐ 사진 VD

☐ 장소 VD

☐ 소리 VD

☐ 글 VD

MON

TUE

WED

THU

FRI

SAT

SUN

Weekly Plan

WEEKLY POINT

WEEKLY CHECK

- ☐ 사진 VD
- ☐ 장소 VD
- ☐ 소리 VD
- ☐ 글 VD

MON

TUE

WED

THU

FRI

SAT

SUN

Weekly Plan

WEEKLY POINT

WEEKLY CHECK

- ☐ 사진 VD
- ☐ 장소 VD
- ☐ 소리 VD
- ☐ 글 VD

MON

TUE

WED

THU

FRI

SAT

SUN

꿈이 이루어진다는 믿음을 지키는 것,

그것이 꿈을 믿는 사람의 태도이고

꿈은 바로 그런 믿음에 반응한다.

Weekly Plan

WEEKLY POINT

WEEKLY CHECK

☐ 사진 VD

☐ 장소 VD

☐ 소리 VD

☐ 글 VD

MON

TUE

WED

THU

FRI

SAT

SUN

꿈의 공식

+

#04 : dream formula

평범한 사람들은
죽도록 열심히 일하는 것을
성공의 제일 요소로 생각하지.

하지만 성공한 사람들은
이미 성공한 자신의 모습을
생생하게 그릴 수 있는 능력을
성공의 제일 요소로 생각해.

미국에서 가장 큰 호텔을 소유하게 된
호텔 왕 콘래드는 이렇게 말했어.

/

"내가 호텔 벨 보이 생활을 할 때
나보다 재능이 뛰어난 사람은 많았고
더 열심히 일하는 사람 역시 많았다.

하지만 성공한 자신의 모습을
온 힘을 다해 그린 사람은
오직 나 하나뿐이었다.

성공을 불러들이는 것은
생생하게 꿈꾸는 능력이다."

/

Monthly Plan	MON	TUE	WED
DREAM LIST			

THU	FRI	SAT	SUN

Weekly Plan

WEEKLY POINT

WEEKLY CHECK

- ☐ 사진 VD
- ☐ 장소 VD
- ☐ 소리 VD
- ☐ 글 VD

MON

TUE

WED

THU

FRI

SAT

SUN

물 위에 뜬 기름처럼

높은 수준의 사고습관을 가져야 해.

세상 사람들이 실천하지 않는

R=VD 공식을 실천해 봐.

원하는 꿈을 이룰 수 있을 거야.

Weekly Plan

WEEKLY POINT

WEEKLY CHECK

- ☐ 사진 VD
- ☐ 장소 VD
- ☐ 소리 VD
- ☐ 글 VD

MON

TUE

WED

THU

FRI

SAT

SUN

Weekly Plan

WEEKLY POINT

WEEKLY CHECK

- ☐ 사진 VD
- ☐ 장소 VD
- ☐ 소리 VD
- ☐ 글 VD

MON

TUE

WED

THU

FRI

SAT

SUN

Weekly Plan

WEEKLY POINT

WEEKLY CHECK

- ☐ 사진 VD
- ☐ 장소 VD
- ☐ 소리 VD
- ☐ 글 VD

MON

TUE

WED

THU

FRI

SAT

SUN

온 마음을 다해서 매일 간절하게
그리는 그림은 현실이 된다.
당신의 현재 상태가 어떻든 상관없다.
중요한 것은 매일 간절하게, 생생하게
당신이 원하는 그림을 그리는 것이다.

Weekly Plan

WEEKLY POINT

WEEKLY CHECK

- ☐ 사진 VD
- ☐ 장소 VD
- ☐ 소리 VD
- ☐ 글 VD

MON

TUE

WED

THU

FRI

SAT

SUN

용기

+

#05 : courage

난 생각해.
넌 자신뿐 아니라 세상을 변화시키는
능력을 가진 사람이 될 수 있다고.

난 믿어.
그토록 아름답게, 치열하게 살다 보면
언젠가 거대한 꿈을 이룬 사람이 될 거라고.

난 꿈꾸고 있어.
지구에 그런 사람들이 가득해지는 그날을.
그때 지구는 진정 아름다운 행성이 될 수 있겠지.

만일 네가 꿈 때문에 아파하고 있다면
이렇게 말해주고 싶어, 마음껏 아파하라고.
그것조차 꿈꾸는 사람만이 가질 수 있는 특권이라고.

네가 변할 때 세상도 변한다는 걸 부디 잊지 마.

Monthly Plan	MON	TUE	WED
DREAM LIST			

THU	FRI	SAT	SUN

Weekly Plan

WEEKLY POINT

WEEKLY CHECK

- ☐ 사진 VD
- ☐ 장소 VD
- ☐ 소리 VD
- ☐ 글 VD

MON

TUE

WED

THU

FRI

SAT

SUN

너에게 해주고 싶은 말이 있어.

네 안의 부정적인 마음들에게 절대로 지지 마.

끝까지 싸워. 끝까지 견디면서 앞으로 나가.

그러면 언젠가 좋은 날을 만나게 될 거야.

반드시 밝고 따뜻한 햇살을 보게 될 거야.

Weekly Plan

WEEKLY POINT

WEEKLY CHECK

- ☐ 사진 VD
- ☐ 장소 VD
- ☐ 소리 VD
- ☐ 글 VD

MON

TUE

WED

THU

FRI

SAT

SUN

Weekly Plan

WEEKLY POINT

WEEKLY CHECK

- ☐ 사진 VD
- ☐ 장소 VD
- ☐ 소리 VD
- ☐ 글 VD

MON

TUE

WED

THU

FRI

SAT

SUN

Weekly Plan

WEEKLY POINT

WEEKLY CHECK

- ☐ 사진 VD
- ☐ 장소 VD
- ☐ 소리 VD
- ☐ 글 VD

MON

TUE

WED

THU

FRI

SAT

SUN

나는 생각해.

평범한 한 사람이 평범하지 않은

하루를 보내기 위해 노력하는 것.

그것이야말로 가장 위대한 일이라고.

Weekly Plan

WEEKLY POINT

WEEKLY CHECK

- ☐ 사진 VD
- ☐ 장소 VD
- ☐ 소리 VD
- ☐ 글 VD

MON

TUE

WED

THU

FRI

SAT

SUN

다짐

+

#06 : resolution

무명 시절의 월트 디즈니는
잠에서 깨면 두 눈을 지그시 감고
할리우드 최고의 영화감독이 된
자신의 모습을 생생하게 그렸어.
그리고 큰 소리로 이렇게 외쳤어.

/

"내 상상력이 내 현실을 만들어낸다.
나는 할리우드 최고의 영화감독이다!"

/

스무 살 때, 나는 이렇게 외쳤어.

/

"그저 존재하는 삶을 살고 싶지 않아.
펄펄 살아 움직이는 내가 되고 싶어!"

/

내가 스스로에게 하는 말들은 모두 이루어질 거야.
부디 내 마음속 말들이 빛나고 아름다운 것들이기를.

Monthly Plan	MON	TUE	WED
DREAM LIST			

THU	FRI	SAT	SUN

Weekly Plan

WEEKLY POINT

WEEKLY CHECK

- ☐ 사진 VD
- ☐ 장소 VD
- ☐ 소리 VD
- ☐ 글 VD

MON

TUE

WED

THU

FRI

SAT

SUN

"네가 꾸는 꿈은 다 이루어질 거야."

"네가 바라는 소원도 모두 이루어질 거야."

"네가 사랑하는 사람들도 다 잘될 거야."

"네가 만나는 사람들도 모두 잘될 거야."

두 손을 가슴에 모으고 너 자신에게 씩씩하게 말해줘.

"넌 참으로 잘될 거야!"라고.

Weekly Plan

WEEKLY POINT

WEEKLY CHECK

- ☐ 사진 VD
- ☐ 장소 VD
- ☐ 소리 VD
- ☐ 글 VD

MON	
TUE	
WED	
THU	
FRI	
SAT	
SUN	

Weekly Plan

WEEKLY POINT

WEEKLY CHECK

☐ 사진 VD

☐ 장소 VD

☐ 소리 VD

☐ 글 VD

MON

TUE

WED

THU

FRI

SAT

SUN

Weekly Plan

WEEKLY POINT

WEEKLY CHECK

- ☐ 사진 VD
- ☐ 장소 VD
- ☐ 소리 VD
- ☐ 글 VD

MON

TUE

WED

THU

FRI

SAT

SUN

"나는 십 대 시절부터 세계의 모든 가정에
컴퓨터가 한 대씩 설치되는 것을 상상했고,
또 반드시 그렇게 만들고야 말겠다고 외쳤다.
그게 시작이다."

– 빌 게이츠

Weekly Plan

WEEKLY POINT

WEEKLY CHECK

- ☐ 사진 VD
- ☐ 장소 VD
- ☐ 소리 VD
- ☐ 글 VD

MON

TUE

WED

THU

FRI

SAT

SUN

습관

+

 # 07 : habit

《불가능은 없다》라는 책을 써서
세계적인 명성을 얻은 로버트 슐러는
성공의 꿈을 가지고 있으면서도
행동하기를 망설이는 사람들에게
다음 질문을 던진 것으로 유명해.

/

"만일 당신이 성공한다는 것을 확실하게 안다면,
지금 무엇을 하겠는가?"

/

매일 30분씩 시간을 내어
성공한 모습을 상상하면 어떤 일이 벌어질까?

뇌는 네가 실제로 성공했다고 믿게 돼.
그리고 자신감, 카리스마, 리더십 등
성공에 관한 정보를 뇌로 보내도록 하지.

즉 R=VD 공식을 지속적으로 실천하면
리더의 사고방식을 저절로 갖추게 되는 거야.

Monthly Plan	MON	TUE	WED
DREAM LIST			

THU	FRI	SAT	SUN

Weekly Plan

WEEKLY POINT

WEEKLY CHECK

☐ 사진 VD

☐ 장소 VD

☐ 소리 VD

☐ 글 VD

MON

TUE

WED

THU

FRI

SAT

SUN

세상이 인정해주는 성공은 귀한 거야.

하지만 더 귀한 것은 내면의 성공이야.

네게 이 말을 해주고 싶어.

한 번도 꿈을 포기하지 않았던 그 모든 나날들이

진정한 성공의 날들이었다고.

네 안의 꿈을 믿고 나가는 순간

넌 이미 성공한 사람이라고.

Weekly Plan

WEEKLY POINT

WEEKLY CHECK

- ☐ 사진 VD
- ☐ 장소 VD
- ☐ 소리 VD
- ☐ 글 VD

MON

TUE

WED

THU

FRI

SAT

SUN

Weekly Plan

WEEKLY POINT

WEEKLY CHECK

- ☐ 사진 VD
- ☐ 장소 VD
- ☐ 소리 VD
- ☐ 글 VD

MON

TUE

WED

THU

FRI

SAT

SUN

Weekly Plan

WEEKLY POINT

WEEKLY CHECK

- ☐ 사진 VD
- ☐ 장소 VD
- ☐ 소리 VD
- ☐ 글 VD

MON

TUE

WED

THU

FRI

SAT

SUN

진심으로

느끼고, 말하고, 행동하면

진짜로 그렇게 된다.

Weekly Plan

WEEKLY POINT

WEEKLY CHECK

- ☐ 사진 VD
- ☐ 장소 VD
- ☐ 소리 VD
- ☐ 글 VD

MON

TUE

WED

THU

FRI

SAT

SUN

주문

+

#08 : spell

/

"감사합니다."

"고맙습니다."

"행복합니다."

/

무명작가 시절 내 초라한 빈민가 자취방 벽에는
위 세 문장을 코팅한 종이가 붙어 있었어.

감사한 일도, 고마운 일도, 행복한 일도 없었지만
바로 그러한 때에 감사해야, 고마워해야, 행복해해야
기적이 찾아온다고 수많은 책에서 배웠기 때문이야.

하루에 수백 번씩 위의 문장을 읊조리기 시작하자
놀랍게도 내 삶에 빛이 찾아들기 시작했어.
나는 빈민가를 탈출했고, 베스트셀러 작가가 되었어.

요즘 나는 위 세 문장을 다시 기도처럼 외우고 있어.
감사한 일도, 고마운 일도, 행복한 일도 전혀 없지만
하루에도 수십 수백 번씩 위의 문장을 읊조리고 있어.

그러면 내 삶에 또다시 빛이,
기적이 찾아올 것을 잘 알기 때문이야.

Monthly Plan	MON	TUE	WED
DREAM LIST			

THU	FRI	SAT	SUN

Weekly Plan

WEEKLY POINT

WEEKLY CHECK

- ☐ 사진 VD
- ☐ 장소 VD
- ☐ 소리 VD
- ☐ 글 VD

MON

TUE

WED

THU

FRI

SAT

SUN

버리렴.

너를 어지럽게 만드는 것들.

네게 욕심을 불러일으키는 것들.

너를 힘들게 하는 것들.

너를 행복하게 하지 못하는 것들.

영혼의 삶과 거리가 먼 것들.

·

·

·

다만 버리렴.

Weekly Plan

WEEKLY POINT

WEEKLY CHECK

- ☐ 사진 VD
- ☐ 장소 VD
- ☐ 소리 VD
- ☐ 글 VD

MON

TUE

WED

THU

FRI

SAT

SUN

Weekly Plan

WEEKLY POINT

WEEKLY CHECK

- ☐ 사진 VD
- ☐ 장소 VD
- ☐ 소리 VD
- ☐ 글 VD

MON

TUE

WED

THU

FRI

SAT

SUN

Weekly Plan

WEEKLY POINT

WEEKLY CHECK

☐ 사진 VD

☐ 장소 VD

☐ 소리 VD

☐ 글 VD

MON

TUE

WED

THU

FRI

SAT

SUN

머릿속을 좋은 생각으로 채우기.

시도 때도 없이 마음속으로 들이닥치는

불평불만의 파도를 익숙한 솜씨로 타고 넘기

삶에 닥친 문제보다 나의 의지가 더 크다는 것 인정하기.

마음을 빛나게 만들어 수시로 감사하기.

Weekly Plan

WEEKLY POINT

WEEKLY CHECK

- ☐ 사진 VD
- ☐ 장소 VD
- ☐ 소리 VD
- ☐ 글 VD

MON

TUE

WED

THU

FRI

SAT

SUN

열정

\+

#09 : passion

나는 모든 꿈은 사랑을 향해야 한다고 믿어.
그래서 해외 빈민촌에 학교를 지어주고 있지.

2011년 처음으로 캄보디아에 학교를 지은 후
필리핀, 짐바브웨, 인도, 베트남, 라오스,
인도네시아, 시리아 난민촌, 차드, 탄자니아 등에
스물두 개 넘는 학교와 병원과 교회를 지었어.
앞으로 백 개 넘는 학교와 병원을 세울 거야.

왜 이런 프로젝트를 진행하냐고?
이유는 간단해. 내 가슴을 뛰게 하니까.
나를 기쁘게 하니까. 나를 행복하게 하니까.

Monthly Plan	MON	TUE	WED
DREAM LIST			

THU	FRI	SAT	SUN

Weekly Plan

WEEKLY POINT

WEEKLY CHECK

- ☐ 사진 VD
- ☐ 장소 VD
- ☐ 소리 VD
- ☐ 글 VD

MON

TUE

WED

THU

FRI

SAT

SUN

세상의 기준에 맞춘 인생은 언제나 후회를 남기지만

자신의 기준에 맞춘 인생은 최소한 후회는 없어.

난 네가 네 뜨거운 가슴으로 살길 원해.

혹시 아직도 깨닫지 못하고 있는 것은 아니겠지?

네 가슴속에 흐르는 피가 뜨거운 이유를.

너한테 뜨겁게 살라고, 그토록 뜨겁게 흐르고 있는 거야.

Weekly Plan

WEEKLY POINT

WEEKLY CHECK

- ☐ 사진 VD
- ☐ 장소 VD
- ☐ 소리 VD
- ☐ 글 VD

MON

TUE

WED

THU

FRI

SAT

SUN

Weekly Plan

WEEKLY POINT

WEEKLY CHECK

- ☐ 사진 VD
- ☐ 장소 VD
- ☐ 소리 VD
- ☐ 글 VD

MON

TUE

WED

THU

FRI

SAT

SUN

Weekly Plan

WEEKLY POINT

WEEKLY CHECK

- ☐ 사진 VD
- ☐ 장소 VD
- ☐ 소리 VD
- ☐ 글 VD

MON

TUE

WED

THU

FRI

SAT

SUN

난 말이야.

꿈 때문에 사람들에게 손가락질을 받았어.

그들은 말했지

넌 절대로 안 된다고, 그만 정신 차리라고.

하지만 말이야, 난 네게 권하고 싶어.

가슴속에서 솟아오르는 꿈을 위해 살아보라고.

네 안의 뜨거운 꿈을 위해 사는 것은 멋진 일이잖아.

Weekly Plan

WEEKLY POINT

WEEKLY CHECK

- ☐ 사진 VD
- ☐ 장소 VD
- ☐ 소리 VD
- ☐ 글 VD

MON

TUE

WED

THU

FRI

SAT

SUN

신념

+

#10 : belief

꿈의 길을 간다는 것은
내 안의 부정적인 자아와
끝이 보이지 않는 전쟁을 치른다는 것을 의미해.

스무 살 때 작가의 꿈을 정하자
내 안의 누군가가 무서운 질문을 던지기 시작했어.

/
"네가 진짜 할 수 있다고 생각해?"
/

하루는 내 안의 그가 부정적인 질문을
몇 번 던지나 세어본 적이 있어.
이천 번이 넘었어. 그는 그 정도로 악착같았어.

하지만 나도 만만치 않았어.
그가 부정적인 질문을 한 번 던질 때마다
긍정적인 대답을 열 번 하는 것으로 대응했어.

그렇게 나는 나 자신과 치열한 전쟁을 치렀어.

Monthly Plan	MON	TUE	WED
DREAM LIST			

THU	FRI	SAT	SUN

Weekly Plan

WEEKLY POINT

WEEKLY CHECK

- ☐ 사진 VD
- ☐ 장소 VD
- ☐ 소리 VD
- ☐ 글 VD

MON

TUE

WED

THU

FRI

SAT

SUN

난 참 바보 같았어. 난 그저 믿었어.
'넌 할 수 있다!'는 마음 깊은 곳의 소리를.
그러다 보니 여기까지 오게 된 것 같아.

난 앞으로도 믿을 거야, 내 마음의 소리를.
이미 경험했거든. 마음속의 꿈을 따라가는 사람은
언젠가는 별처럼 빛난다는 걸 말이야.

난 별처럼 빛나는 삶을 살고 싶어.

Weekly Plan

WEEKLY POINT

WEEKLY CHECK

- ☐ 사진 VD
- ☐ 장소 VD
- ☐ 소리 VD
- ☐ 글 VD

MON

TUE

WED

THU

FRI

SAT

SUN

Weekly Plan

WEEKLY POINT

WEEKLY CHECK

- ☐ 사진 VD
- ☐ 장소 VD
- ☐ 소리 VD
- ☐ 글 VD

MON

TUE

WED

THU

FRI

SAT

SUN

Weekly Plan

WEEKLY POINT

WEEKLY CHECK

- ☐ 사진 VD
- ☐ 장소 VD
- ☐ 소리 VD
- ☐ 글 VD

MON

TUE

WED

THU

FRI

SAT

SUN

내 영혼은 나에게 이렇게 말해왔다.

넌 반드시 네 꿈을 이루게 될 거라고.

아니 지금 네가 꾸고 있는 그 꿈보다 백 배 천 배는

대단한 현실과 만나게 될 거라고.

그러니 굴하지 말고 앞으로 나가라고.

:

내 영혼의 목소리를 나는 믿는다.

Weekly Plan

WEEKLY POINT

WEEKLY CHECK

- ☐ 사진 VD
- ☐ 장소 VD
- ☐ 소리 VD
- ☐ 글 VD

MON

TUE

WED

THU

FRI

SAT

SUN

비상

\+

#11 : rising

아무리 힘들고 눈물 나는 일만 있어도
매일 앞으로 나아가길 바라.
단 1센티미터라도 전진하길 바라.

머뭇거리거나 주저앉아 있는 사람에게는 희망이 없어.
희망은 오직 앞으로 나아가는 사람에게만 있어.

넌 희망의 증거가 되기 위해 고통을 받고 있는 거야.
그러니까 네 가슴속의 별을 믿고 앞으로 달려가는 거야!

Monthly Plan	MON	TUE	WED
DREAM LIST			

THU	FRI	SAT	SUN

Weekly Plan

WEEKLY POINT

WEEKLY CHECK

- ☐ 사진 VD
- ☐ 장소 VD
- ☐ 소리 VD
- ☐ 글 VD

MON

TUE

WED

THU

FRI

SAT

SUN

네가 상상하는 네 자신은 독수리잖아.

광활한 창공을 훨훨 나는 그런 멋진 새잖아.

그런데 넌 왜 날개 펴기를 주저하는 거야?

날개를 활짝 펴!

너로 하여금 꿈을 포기하게 만드는

현실이라는 절벽 아래로 화려하게 뛰어내려!

그러면 넌 만나게 될 거야,

하늘을 날고 있는 네 자신을.

그러니까 한번 해봐!

넌 네 생각보다 훨씬 더 잘할 수 있어!

Weekly Plan

WEEKLY POINT

WEEKLY CHECK

- ☐ 사진 VD
- ☐ 장소 VD
- ☐ 소리 VD
- ☐ 글 VD

MON
TUE
WED
THU
FRI
SAT
SUN

Weekly Plan

WEEKLY POINT

WEEKLY CHECK

- ☐ 사진 VD
- ☐ 장소 VD
- ☐ 소리 VD
- ☐ 글 VD

MON

TUE

WED

THU

FRI

SAT

SUN

Weekly Plan

WEEKLY POINT

WEEKLY CHECK

- ☐ 사진 VD
- ☐ 장소 VD
- ☐ 소리 VD
- ☐ 글 VD

MON

TUE

WED

THU

FRI

SAT

SUN

인생의 진리는 단순하다.

당신은 당신이 상상한 것만 얻는다.

그러니 창조적이고 건설적인 상상을 하라.

Weekly Plan

WEEKLY POINT

WEEKLY CHECK

- ☐ 사진 VD
- ☐ 장소 VD
- ☐ 소리 VD
- ☐ 글 VD

MON

TUE

WED

THU

FRI

SAT

SUN

다시, 꿈

+

 # 12 : dream again

/

"내 나이 여든이 되어도 매일
새롭게 태어나는 삶을 살 것입니다."

/

스무 살에 만난 칼릴 지브란의 말은
심히 멋있고 아름다웠어.

그때 난 다짐했었지.
나도 칼릴 지브란 같은 멋진 말을
할 수 있는 어른이 되겠다고.

다행히 지금껏 잘 지키고 있어.
늘 힘들고 어렵지만,
늘 새롭게 태어나고 있거든.

지금 내가 바라는 건 딱 하나야.
부디 여든을 앞두고 있을 때도
지금보다 더 뜨겁기를!

Monthly Plan	MON	TUE	WED
DREAM LIST			

THU	FRI	SAT	SUN

Weekly Plan

WEEKLY POINT

WEEKLY CHECK

- ☐ 사진 VD
- ☐ 장소 VD
- ☐ 소리 VD
- ☐ 글 VD

MON

TUE

WED

THU

FRI

SAT

SUN

난 네가 지금 이 순간에 감사하면서

바꿀 수 있는 미래를 향해 날아갔으면 좋겠어.

하지 못했던 것들이 아니라 하고 싶은 것들을

바라보면서 하루하루를 살아갔으면 좋겠어.

뒤를 돌아보면 앞을 볼 수 없으니까.

Weekly Plan

WEEKLY POINT

WEEKLY CHECK

- ☐ 사진 VD
- ☐ 장소 VD
- ☐ 소리 VD
- ☐ 글 VD

MON

TUE

WED

THU

FRI

SAT

SUN

Weekly Plan

WEEKLY POINT

WEEKLY CHECK

☐ 사진 VD

☐ 장소 VD

☐ 소리 VD

☐ 글 VD

MON

TUE

WED

THU

FRI

SAT

SUN

Weekly Plan

WEEKLY POINT

WEEKLY CHECK

- ☐ 사진 VD
- ☐ 장소 VD
- ☐ 소리 VD
- ☐ 글 VD

MON

TUE

WED

THU

FRI

SAT

SUN

내 가슴속에는 거대한 별이 하나 떠 있어.

마치 은하계 전체의 빛을 담은 듯한,

그 찬란한 별을 네게 보여주고 싶어.

그리고 깨닫게 해주고 싶어.

네 가슴속에도 나와 똑같은

별이 떠 있다는 사실을.

Weekly Plan

WEEKLY POINT

WEEKLY CHECK

☐ 사진 VD
☐ 장소 VD
☐ 소리 VD
☐ 글 VD

MON

TUE

WED

THU

FRI

SAT

SUN

VD
Diary Book

꿈을 현실로 만드는 사람들에겐 공통점이 있어요.

하나, 어떤 꿈이든 '소중하게' 대한다는 것.

둘, 꿈을 이룬 자신의 모습을 '생생하게' 그린다는 것.

Vivid Dream = Realization.

꿈의 공식 R=VD로 꿈을 생생하게 그려보세요.

꿈을 향해 나아가는 소중한 순간을 기록해보세요.

VD 다이어리가 당신의 꿈을 현실로 만들어줄 거예요.

지금 꿈을 느끼고, 말하고, 행동하세요.

꿈을
현실로 만드는
R=VD

생생하게 꿈꾸는 VD 기법 - 기본편

꿈을 보다 + 사진 VD

꿈에 다가가다 + 장소 VD

꿈을 말하다 + 소리 VD

꿈을 쓰다 + 글 VD

꿈 너머를 꿈꾸는 VD 기법 - 심화편

꿈을 만나다 + 파티 VD

꿈을 상영하다 + 정신의 영화관 VD

꿈에게 묻다 + 상상의 멘토링 VD

V I V I D D R E A M = R E A L I Z A T I O N

꿈을 보다 × 사진 VD

R=VD 공식의 전제 조건은 꿈을 '생생하게' 꾸는 것입니다.
생생하게 꿈꾸기가 쉽지 않을 땐 사진을 준비해보세요.
사진을 보면서 꿈꾸기를 하는 사람은 그렇지 않은 사람보다 몇 배는 더 생생하게 꿈꿀 수 있답니다.

하나

꿈이 담긴 사진을 준비할 것.

직접 찍은 사진이 아니어도 괜찮아요.
잡지를 오리거나 인터넷에서 찾은 사진을 출력해도 좋아요.

둘

사진을 항상 가지고 다닐 것.

이미지 파일로 만들어 스마트폰 액정 화면이나
컴퓨터 바탕 화면에 띄워놓아도 좋아요.

셋

사진을 보며 꿈이 이루어졌다고 느낄 것.

시각뿐 아니라 다른 감각까지 동원해서 느껴보세요.
그 느낌을 말로 표현하면 더욱 좋아요.

PICTURE HERE

◆ 나의 꿈

◆ 꿈을 이룬 내 모습(표정, 말투, 복장, 분위기, 태도)

◆ 꿈을 실현했을 때의 느낌

◆ 꿈을 이루기 위해 할 수 있는 것

○ VIVID DREAM DAY ____________________

● REALIZATION DAY ____________________

PICTURE HERE

◆ 나의 꿈

◆ 꿈을 이룬 내 모습(표정, 말투, 복장, 분위기, 태도)

◆ 꿈을 실현했을 때의 느낌

◆ 꿈을 이루기 위해 할 수 있는 것

○ VIVID DREAM DAY ____________________

● REALIZATION DAY ____________________

PICTURE HERE

◆ 나의 꿈

◆ 꿈을 이룬 내 모습(표정, 말투, 복장, 분위기, 태도)

◆ 꿈을 실현했을 때의 느낌

◆ 꿈을 이루기 위해 할 수 있는 것

○ VIVID DREAM DAY ____________________

● REALIZATION DAY ____________________

PICTURE HERE

◆ 나의 꿈

◆ 꿈을 이룬 내 모습(표정, 말투, 복장, 분위기, 대도)

◆ 꿈을 실현했을 때의 느낌

◆ 꿈을 이루기 위해 할 수 있는 것

○ VIVID DREAM DAY ____________________

● REALIZATION DAY ____________________

PICTURE HERE

◆ 나의 꿈

◆ 꿈을 이룬 내 모습(표정, 말투, 복장, 분위기, 태도)

◆ 꿈을 실현했을 때의 느낌

◆ 꿈을 이루기 위해 할 수 있는 것

○ VIVID DREAM DAY ____________________

● REALIZATION DAY ____________________

PICTURE HERE

◆ **나의 꿈**

◆ **꿈을 이룬 내 모습**(표정, 말투, 복장, 분위기, 태도)

◆ **꿈을 실현했을 때의 느낌**

◆ **꿈을 이루기 위해 할 수 있는 것**

○ VIVID DREAM DAY ________________

● REALIZATION DAY ________________

VIVID DREAM = REALIZATION

꿈에 다가가다 × 장소 VD

R=VD! 꿈을 진심으로 느끼고 말하고 행동하면 현실이 됩니다.
꿈이 현실에서 이루어지기를 기다리는 대신 직접 현실 속으로 들어가 꿈의 현장을 정복하세요.
꿈꾸는 것에 머무르지 말고 꿈을 향해 전진하세요.

하나

꿈과 관련된 장소에 찾아갈 것.

꿈의 장소를 잘 아는 사람과 동행해보세요.
혼자서도 어렵지 않다면 조금씩 꿈의 무대를 넓혀보세요.

둘

그곳에 머물며 꿈이 이루어진 모습을 강렬하게 상상할 것.

미리 마음속으로 그린 수천 장의 그림을
꿈의 장소에서 직접 시뮬레이션 해보세요.

셋

지속적으로 찾아가 VD 할 것.

사람들이 당신에게 인사를 하고 말을 걸어올 정도로
생생하게 꿈꾸고 당당하게 행동하세요.

◆ **나의 꿈**

◆ **꿈의 장소**(방문 횟수 □1회 □2회 □3회)

◆ **꿈을 이룬 내 모습**(표정, 말투, 복장, 분위기, 태도)

◆ **꿈을 이루기 위해 할 수 있는 것**

◆ **현장에서 외치는 꿈의 주문**

○ VIVID DREAM DAY ________________

● REALIZATION DAY ________________

◆ MEMO

◆ 나의 꿈

◆ **꿈의 장소**(방문 횟수 □1회 □2회 □3회)

◆ **꿈을 이룬 내 모습**(표정, 말투, 복장, 분위기, 태도)

◆ 꿈을 이루기 위해 할 수 있는 것

◆ 현장에서 외치는 꿈의 주문

○ VIVID DREAM DAY ________________

● REALIZATION DAY ________________

◆ MEMO

◆ **나의 꿈**

◆ **꿈의 장소**(방문 횟수 □1회 □2회 □3회)

◆ **꿈을 이룬 내 모습**(표정, 말투, 복장, 분위기, 태도)

◆ **꿈을 이루기 위해 할 수 있는 것**

◆ **현장에서 외치는 꿈의 주문**

○ VIVID DREAM DAY ________________

● REALIZATION DAY ________________

◆ MEMO

◆ 나의 꿈

◆ 꿈의 장소(방문 횟수 □1회 □2회 □3회)

◆ 꿈을 이룬 내 모습(표정, 말투, 복장, 분위기, 태도)

◆ 꿈을 이루기 위해 할 수 있는 것

◆ 현장에서 외치는 꿈의 주문

○ VIVID DREAM DAY ________________

● REALIZATION DAY ________________

• MEMO

◆ 나의 꿈

◆ 꿈의 장소(방문 횟수 □1회 □2회 □3회)

◆ 꿈을 이룬 내 모습(표정, 말투, 복장, 분위기, 태도)

◆ 꿈을 이루기 위해 할 수 있는 것

◆ 현장에서 외치는 꿈의 주문

○ VIVID DREAM DAY ____________

● REALIZATION DAY ____________

◆ MEMO

◆ **나의 꿈**

◆ **꿈의 장소**(방문 횟수 □1회 □2회 □3회)

◆ **꿈을 이룬 내 모습**(표정, 말투, 복장, 분위기, 태도)

◆ **꿈을 이루기 위해 할 수 있는 것**

◆ **현장에서 외치는 꿈의 주문**

○ VIVID DREAM DAY ____________

● REALIZATION DAY ____________

◆ MEMO

VIVID DREAM = REALIZATION

꿈을 말하다 × 소리 VD

말에는 힘이 있다고 하죠. 실제로 "난 안 될 거야" 하고 실패의 말을 하면 실패가 찾아오고 "난 잘될 거야" 하고 성공의 말을 하면 성공이 찾아와요. 말하는 대로 삶이 변화하는 것을 느껴보세요.

하나

꿈이 이루어진 모습을 생생하게 꿈꿀 것.

반드시 성공하고야 말겠다는 거창한 꿈이 아니어도 괜찮아요.
주어진 삶에 만족하고 감사하는 일상의 행복을 그려보세요.

둘

꿈꾼 내용을 말로 표현할 것.

꿈이 이루어진 모습을 실제로 보고 있는 것처럼 상세하게 표현하세요.
잘 되지 않을 때는 미리 종이에 적어두고 그 내용을 큰소리로 읽어보세요.

셋

말의 여운이 채 가시기 전에 다시 한 번 생생하게 꿈꿀 것.

매일 30분씩 20~30회 이상 소리 내어 VD 하세요.
혼자만의 공간이나 꿈의 장소에서 하면 더욱 효과적이에요.

◆ 꿈이 이루어지는 주문

나는 소중하다.

나는 행복하다.

나는 최고다.

나는 잘하고 있다.

내 꿈은 이루어진다. (□1회 □2회 □3회)

◆ MEMO

◆ **나의 꿈**

◆ **꿈을 이룬 내 모습**(표정, 말투, 복장, 분위기, 태도)

◆ **꿈을 위해 외치는 나만의 주문**

나는 ______________________________ 다.

나는 ______________________________ 하다.

나는 ______________________________ 할 것이다.

내 꿈은 ______________________________ 다. (□1회 □2회 □3회)

○ VIVID DREAM DAY ____________

● REALIZATION DAY ____________

◆ 꿈이 이루어지는 주문

나는 소중하다.

나는 행복하다.

나는 최고다.

나는 잘하고 있다.

내 꿈은 이루어진다. (□1회 □2회 □3회)

◆ MEMO

◆ **나의 꿈**

◆ **꿈을 이룬 내 모습**(표정, 말투, 복장, 분위기, 태도)

◆ **꿈을 위해 외치는 나만의 주문**

나는 ______________________________ 다.

나는 ______________________________ 하다.

나는 ______________________________ 할 것이다.

내 꿈은 ______________________________ 다. (□1회 □2회 □3회)

○ VIVID DREAM DAY ____________

● REALIZATION DAY ____________

◆ 꿈이 이루어지는 주문

나는 소중하다.
나는 행복하다.
나는 최고다.
나는 잘하고 있다.
내 꿈은 이루어진다. (□1회 □2회 □3회)

◆ MEMO

◆ **나의 꿈**

◆ **꿈을 이룬 내 모습**(표정, 말투, 복장, 분위기, 태도)

◆ **꿈을 위해 외치는 나만의 주문**

나는 ______________________________ 다.

나는 ______________________________ 하다.

나는 ______________________________ 할 것이다.

내 꿈은 ______________________________ 다. (□1회 □2회 □3회)

○ VIVID DREAM DAY ____________

● REALIZATION DAY ____________

◆ 꿈이 이루어지는 주문

나는 소중하다.

나는 행복하다.

나는 최고다.

나는 잘하고 있다.

내 꿈은 이루어진다. (□1회 □2회 □3회)

◆ MEMO

◆ **나의 꿈**

◆ **꿈을 이룬 내 모습**(표정, 말투, 복장, 분위기, 태도)

◆ **꿈을 위해 외치는 나만의 주문**

나는 ______________________________ 다.

나는 ______________________________ 하다.

나는 ______________________________ 할 것이다.

내 꿈은 ______________________________ 다. (□1회 □2회 □3회)

○ VIVID DREAM DAY ____________

● REALIZATION DAY ____________

◆ 꿈이 이루어지는 주문

나는 소중하다.
나는 행복하다.
나는 최고다.
나는 잘하고 있다.
내 꿈은 이루어진다. (□1회 □2회 □3회)

◆ MEMO

◆ **나의 꿈**

◆ **꿈을 이룬 내 모습**(표정, 말투, 복장, 분위기, 태도)

◆ **꿈을 위해 외치는 나만의 주문**

나는 ______________________________ 다.

나는 ______________________________ 하다.

나는 ______________________________ 할 것이다.

내 꿈은 ______________________________ 다. (□1회 □2회 □3회)

○ VIVID DREAM DAY ____________

● REALIZATION DAY ____________

◆ 꿈이 이루어지는 주문

나는 소중하다.
나는 행복하다.
나는 최고다.
나는 잘하고 있다.
내 꿈은 이루어진다. (□1회 □2회 □3회)

◆ MEMO

◆ **나의 꿈**

◆ **꿈을 이룬 내 모습**(표정, 말투, 복장, 분위기, 태도)

◆ **꿈을 위해 외치는 나만의 주문**

나는 ______________________________ 다.

나는 ______________________________ 하다.

나는 ______________________________ 할 것이다.

내 꿈은 ______________________________ 다. (□1회 □2회 □3회)

○ VIVID DREAM DAY ____________

● REALIZATION DAY ____________

VIVID DREAM = REALIZATION

꿈을 쓰다

×

글 VD

자신과 가장 솔직한 대화를 나누는 방법 중에 하나가 글쓰기입니다.

꿈을 글로 적으면 매일 밤 기대감으로 잠자리에 들게 되고, 설레는 마음으로 내일을 열게 될 거예요.

나에게 특별한 하루를 선물해보세요.

하나

꿈의 노트를 마련할 것.

꼭 노트가 아니어도 괜찮아요. 스마트폰의 메모장을 활용해보세요.
중요한 것은 노트가 아니라 꿈을 글로 적는 행위랍니다.

둘

노트에 꿈을 적을 것.

노트를 세 부분으로 나눠 첫 번째는 개인적인 소망, 두 번째는 가족을 위한 소망,
세 번째는 사회와 국가와 인류를 위한 소망을 적어보세요.

셋

적으면서 또는 적은 내용을 소리 내이 읽으며
꿈이 이루어진 모습을 생생하게 그릴 것.

최소 하루 한 번 이상 읽으며 생생하게 꿈꾸세요.
꿈이 이루어지는 속도는 당신이 느끼는 생생함에 비례합니다.

◆ **나의 꿈**

A(가장 중요한 꿈)

B(그다음 중요한 꿈)

C(나머지 꿈들)

◆ **꿈을 이룬 내 모습**(표정, 말투, 복장, 분위기, 태도)

◆ **꿈을 이루기 위한 구체적인 행동**

단기(A, B, C)

중기(A, B, C)

장기(A, B, C)

○ VIVID DREAM DAY ____________________

● REALIZATION DAY ____________________

◆ MEMO

◆ **나의 꿈**

A(가장 중요한 꿈)

B(그다음 중요한 꿈)

C(나머지 꿈들)

◆ **꿈을 이룬 내 모습**(표정, 말투, 복장, 분위기, 태도)

◆ **꿈을 이루기 위한 구체적인 행동**

단기(A, B, C)

중기(A, B, C)

장기(A, B, C)

○ VIVID DREAM DAY ________________

● REALIZATION DAY ________________

◆ MEMO

◆ **나의 꿈**

A(가장 중요한 꿈)

B(그다음 중요한 꿈)

C(나머지 꿈들)

◆ **꿈을 이룬 내 모습**(표정, 말투, 복장, 분위기, 태도)

◆ **꿈을 이루기 위한 구체적인 행동**

단기(A, B, C)

중기(A, B, C)

장기(A, B, C)

○ VIVID DREAM DAY ____________

● REALIZATION DAY ____________

◆ MEMO

◆ **나의 꿈**

A(가장 중요한 꿈)

B(그다음 중요한 꿈)

C(나머지 꿈들)

◆ **꿈을 이룬 내 모습**(표정, 말투, 복장, 분위기, 태도)

◆ **꿈을 이루기 위한 구체적인 행동**

단기(A, B, C)

중기(A, B, C)

장기(A, B, C)

○ VIVID DREAM DAY ____________

● REALIZATION DAY ____________

◆ MEMO

◆ **나의 꿈**

A(가장 중요한 꿈)

B(그다음 중요한 꿈)

C(나머지 꿈들)

◆ **꿈을 이룬 내 모습**(표정, 말투, 복장, 분위기, 태도)

◆ **꿈을 이루기 위한 구체적인 행동**

단기(A, B, C)

중기(A, B, C)

장기(A, B, C)

○ VIVID DREAM DAY ______________

● REALIZATION DAY ______________

◆ MEMO

◆ **나의 꿈**

A(가장 중요한 꿈)

B(그다음 중요한 꿈)

C(나머지 꿈들)

◆ **꿈을 이룬 내 모습**(표정, 말투, 복장, 분위기, 태도)

◆ **꿈을 이루기 위한 구체적인 행동**

단기(A, B, C)

중기(A, B, C)

장기(A, B, C)

○ VIVID DREAM DAY ____________________

● REALIZATION DAY ____________________

◆ MEMO

VIVID DREAM = REALIZATION

꿈을 만나다 × 파티 VD

꿈을 이룬 사람들의 파티에 참석해보세요. 이미 꿈을 이룬 것처럼 행동하는 사람들이 모여
서로 꿈을 이룬 비결을 이야기하고 축하해주는 모임이랍니다.
파티가 끝나고 나면 내면에 꿈에 대한 확신이 생길 거예요.

하나

꿈을 이룬 미래의 모습으로 파티에 참석할 것.

파티가 부담스럽다면 커피 또는 차를 마시며
꿈에 대해 이야기하는 모임부터 시작해보세요.

둘

사람들 앞에서 자신의 성취에 대해 이야기할 것.

꿈이 이미 실현되었음을 증명해주는 증거들,
이를테면 신문이나 잡지에서 스크랩한 자신의 인터뷰 기사나 명함을 준비하세요.

셋

꿈을 이룬 비결에 대한 질문에 답할 것.

꿈을 이루기 위해 노력하다가 위기에 처했던 일, 위기에서 벗어나기 위해
어떻게 사고하고 행동했는지 등을 구체적으로 이야기하세요.

◆ **꿈의 파티로의 초대**

시간

장소

인원

콘셉트

◆ **꼭 초대하고 싶은 사람과 그 이유**

◆ **파티 참석자를 위한 자기소개**

명 함

안녕하세요. 저는 ______________________(이)라는 꿈을 이룬 __________ 입니다.

○ VIVID DREAM DAY ____________

● REALIZATION DAY ____________

◆ MEMO

◆ 꿈의 파티로의 초대

시간

장소

인원

콘셉트

◆ 꼭 초대하고 싶은 사람과 그 이유

◆ 파티 참석자를 위한 자기소개

명 함

안녕하세요. 저는 ______________________ (이)라는 꿈을 이룬 __________ 입니다.

○ VIVID DREAM DAY ____________

● REALIZATION DAY ____________

◆ MEMO

◆ 꿈의 파티로의 초대

시간

장소

인원

콘셉트

◆ 꼭 초대하고 싶은 사람과 그 이유

◆ 파티 참석자를 위한 자기소개

명 함

안녕하세요. 저는 ________________________(이)라는 꿈을 이룬 ____________ 입니다.

○ VIVID DREAM DAY ____________

● REALIZATION DAY ____________

◆ MEMO

◆ **꿈의 파티로의 초대**

시간

장소

인원

콘셉트

◆ **꼭 초대하고 싶은 사람과 그 이유**

◆ **파티 참석자를 위한 자기소개**

명 함

안녕하세요. 저는 ____________________(이)라는 꿈을 이룬 __________ 입니다.

○ VIVID DREAM DAY ____________

● REALIZATION DAY ____________

◆ MEMO

V I V I D D R E A M = R E A L I Z A T I O N

꿈을 상영하다
×
정신의 영화관 VD

VD 기법 심화편에 속하는 정신의 영화관 VD.

지속적으로 실천하다 보면 어느 순간부터 영화가 스스로 살아 움직인다고 해요.

거창하고 어렵게 느껴지는 이름과 달리 시간, 장소, 마음만 있으면 충분히 실천할 수 있는 기법이랍니다.

하나

가장 편안한 자세로 눈을 감고
영화관 스크린 화면을 떠올린 뒤 주인공을 등장시킬 것.

누구에게도 방해 받지 않는 혼자만의 공간에서 할수록 좋아요.
어렵다면 이제껏 가장 깊은 편인함을 느꼈던 장소를 떠올려보세요.

둘

오감을 동원해서 화면에 생생한 현실감을 부여할 것.

이 기법의 효과를 진심으로 믿고 실천하겠다는 마음가짐이 중요해요.
호흡을 통해 심신을 충분히 이완시킨 뒤 잠재의식을 깨워보세요.

셋

원하는 장면을 스크린에 생생하게 투사해놓고
그 장면을 반복적으로 관람할 것.

가장 좋은 시간대는 기상 후와 취침 전으로
매일 아침 일어나서 15~30분, 잠들기 전 15~30분 정도 하는 게 이상적이에요.

◆ 나의 꿈

◆ 내 꿈과 유사한 영화 속 한 장면

◆ 정신의 영화관에서 상영할 꿈의 대본(배경, 지문, 등장인물, 대사)

○ VIVID DREAM DAY ________________

● REALIZATION DAY ________________

◆ MEMO

◆ **나의 꿈**

◆ **내 꿈과 유사한 영화 속 한 장면**

◆ **정신의 영화관에서 상영할 꿈의 대본**(배경, 지문, 등장인물, 대사)

○ VIVID DREAM DAY ________________

● REALIZATION DAY ________________

◆ MEMO

◆ 나의 꿈

◆ 내 꿈과 유사한 영화 속 한 장면

◆ 정신의 영화관에서 상영할 꿈의 대본(배경, 지문, 등장인물, 대사)

○ VIVID DREAM DAY ______________

● REALIZATION DAY ______________

◆ MEMO

◆ 나의 꿈

◆ 내 꿈과 유사한 영화 속 한 장면

◆ 정신의 영화관에서 상영할 꿈의 대본(배경, 지문, 등장인물, 대사)

○ VIVID DREAM DAY ________________

● REALIZATION DAY ________________

◆ MEMO

VIVID DREAM = REALIZATION

꿈에게 묻다
×
상상의 멘토링 VD

독일의 문호 괴테는 매일 누군가와 대화를 나눴습니다.

그에게 창조적인 영감을 제공한 사람은 놀랍게도 상상으로 만들어진 인물이었죠.

가장 수준 높은 경지의 VD 기법인 상상의 멘토링 VD로 내 안의 잠재의식과 대화를 나눠보세요.

하나

멘토로 삼고 싶은 인물을 정할 것.

세상을 떠난 사람이든 현존하는 사람이든
내 안의 잠재력을 끌어낼 수 있는 인물을 멘토로 정해보세요.

둘

**멘토를 만나 어떤 대화를 나눌 것인지,
어떤 조언을 구할 것인지 등을 종이에 기록할 것.**

질문 속에 답이 있다! 현명한 질문이 현명한 답을 이끌어줄 거예요.

셋

매일 상상의 대화방에 멘토를 초대해 대화를 나눌 것.

처음에는 부자연스럽고 어려울 수 있어요. 하지만 시간이 지나면
그가 적극적으로 내 말을 귀담아 듣고 나에게 최고의 조언을 선물할 거예요.

◆ 나의 꿈

◆ 내 상상의 멘토와 그를 선정한 이유

◆ 상상의 멘토에게 던지는 질문과 대화

"당신이라면 이 문제를 어떻게 풀겠습니까?"
"당신이라면 이 경우에 어떻게 행동하겠습니까?"
"당신이라면 이 상황에서 어떤 조언을 하겠습니까?"

○ VIVID DREAM DAY ______________

● REALIZATION DAY ______________

◆ MEMO

◆ 나의 꿈

◆ 내 상상의 멘토와 그를 선정한 이유

◆ 상상의 멘토에게 던지는 질문과 대화

"당신이라면 이 문제를 어떻게 풀겠습니까?"
"당신이라면 이 경우에 어떻게 행동하겠습니까?"
"당신이라면 이 상황에서 어떤 조언을 하겠습니까?"

○ VIVID DREAM DAY ______________

● REALIZATION DAY ______________

◆ MEMO

◆ 나의 꿈

◆ 내 상상의 멘토와 그를 선정한 이유

◆ 상상의 멘토에게 던지는 질문과 대화

"당신이라면 이 문제를 어떻게 풀겠습니까?"
"당신이라면 이 경우에 어떻게 행동하겠습니까?"
"당신이라면 이 상황에서 어떤 조언을 하겠습니까?"

○ VIVID DREAM DAY ____________________

● REALIZATION DAY ____________________

◆ MEMO

◆ 나의 꿈

◆ 내 상상의 멘토와 그를 선정한 이유

◆ 상상의 멘토에게 던지는 질문과 대화

"당신이라면 이 문제를 어떻게 풀겠습니까?"
"당신이라면 이 경우에 어떻게 행동하겠습니까?"
"당신이라면 이 상황에서 어떤 조언을 하겠습니까?"

○ VIVID DREAM DAY ________________

● REALIZATION DAY ________________

◆ MEMO

오랫동안 꿈을 그리는 사람은

마침내 그 꿈을 닮아간다.

/

꿈꾸라. 생생하게 꿈꾸라.

그리고 사랑하라.